MINECRAFT

Pour l'édition originale
Textes écrits par Nick Farwell, AKA CNB Minecraft
Conception graphique : Steffan Glynn
Maquette : Andrea Philpots
Édition : Jane Riordan et Stephanie Milton
Fabrication : Louis Harvey et Caroline Hancock
Illustrations de James Burlinson, Theo Cordner, Cubehamster,
SethBling, JL2579 and FVDisco.
Remerciements à l'équipe de test de Minecraft : SethBling, Ali, Bella, Jack, Roman,
Adam, William, Isaac et Oscar.

Pour l'édition française
Traduction : Alain Bories
Révision de la traduction : Alexandre Fil
Mise en page, édition et relecture : IndoLogic Pvt. Ltd. (Pondichéry, Inde)
Responsable éditorial : Thomas Dartige
Suivi d'édition : Éric Pierrat
Remerciements pour leur relecture : Jules Vincent,
Badr Bouchabchoub, Sacha Malaterre et Augustin Pierrat

Avertissement aux parents à propos d'Internet : toutes les adresses de sites Internet
données dans ce livre sont correctes au moment où nous imprimons. Gallimard Jeunesse
vérifie et met à jour régulièrement les liens sélectionnés ; leur contenu peut cependant changer.
Gallimard Jeunesse ne peut être tenu pour responsable que du contenu de son propre site
et non de celui des sites tiers qui peuvent changer à tout moment.
Nous recommandons que les enfants utilisent Internet en présence d'un adulte,
ne fréquentent pas les *tchats* et utilisent un ordinateur équipé d'un filtre pour éviter
les sites non recommandables.

Avertissement aux enfants à propos d'Internet : Demandez toujours la permission
à un adulte avant de vous connecter au réseau Internet. • Ne donnez jamais d'informations
sur vous. • Ne donnez jamais rendez-vous à quelqu'un que vous avez rencontré
sur Internet. • Si un site vous demande de vous inscrire avec votre nom et votre adresse
e-mail, demandez d'abord la permission à un adulte. • Ne répondez jamais
aux messages d'un inconnu, parlez-en à un adulte.

Édition originale parue sous le titre :
Minecraft Redstone handbook
publiée au Royaume-Uni en 2013 par Egmont UK Limited

ISBN : 978-2-07-066019-3
Copyright © 2014 Gallimard Jeunesse, Paris
Premier dépôt légal : avril 2014
Dépôt légal : juillet 2014
N° d'édition : 271234
Loi n° 49-956 du 16 juillet 1949
sur les publications destinées à la jeunesse.

Imprimé et relié en Italie
par Rotolito Lombarda S.p.A.

MINECRAFT

MOJANG

REDSTONE
LE GUIDE OFFICIEL

SOMMAIRE

DANS LA REDSTONE

Introduction au monde extraordinaire de la redstone!

Que tu joues en mode survie ou créatif, la redstone est un minerai à part dans Minecraft, un monde en soi qui ouvre des possibilités immenses. Il bouleversera ta façon de jouer en te montrant comment connecter entre eux et contrôler les blocs qui constituent ton monde.

La poudre et les torches de redstone étaient déjà dans la version Alpha. Les répéteurs ont été introduits à la sortie de la version officielle redstone Bêta 1.3.1, ainsi que la possibilité de se procurer de la redstone en faisant du troc avec les villageois. Les sorcières, qui libèrent parfois de la redstone, sont arrivées avec Bêta 1.4.2, suivies par les pistons avec l'édition Bêta 1.7. La version 1.5 (appelée aussi «mise à jour Redstone») est sortie en mars 2013.

D'emblée, la redstone a attiré une énorme communauté de joueurs qui développe, construit et partage les créations les plus variées : jeux d'arcade, pièges complexes, calculatrices et même ordinateurs!

NOTE DE L'AUTEUR : les plus passionnés utilisent la redstone sur la version PC ou Mac mais dans ce livre, beaucoup des exemples donnés peuvent aussi être réalisés sur Xbox 360 : alors vas-y, lance-toi!

Ce guide démarre très fort avec, en première partie, toutes les bases concernant la redstone. La deuxième partie te conduit à utiliser tes connaissances récentes pour relever des défis, et la dernière partie présente les créations extraordinaires de la communauté de joueurs, et te laisse entrevoir la façon dont elle fonctionne.

ALORS BRANCHONS-NOUS ET CRÉONS!

LA REDSTONE EN BREF

LE MINERAI DE REDSTONE

L e minerai de redstone existe à l'état naturel sous forme de bloc donnant de la poudre de redstone. Pour extraire ces blocs dans les versions PC ou Mac, il faut une pioche de fer, d'or ou de diamant. Chaque bloc donne quatre ou cinq poudres de redstone.

OÙ TROUVER LE MINERAI

Le minerai de redstone n'existe qu'à grande profondeur, aux niveaux 1 à 16 au-dessus de la base de la carte (point le plus profond). Alors à vos pioches ! Sans oublier la règle n°1 de Minecraft : ne jamais creuser sous ses propres pieds !

MINERAI
DE REDSTONE

Si tu joues en mode créatif, tu as à disposition une quantité infinie de redstone. Si tu es en mode survie, la meilleure façon de trouver ce minerai est de découvrir un réseau de grottes descendant à grande profondeur. Cela t'évitera de creuser toi-même à la pioche et te conduira à de riches filons de ce minerai.

ENCHANTE TES OUTILS

Quand on creuse avec une pioche avec l'enchantement «Fortune», chaque bloc de redstone libère jusqu'à 8 éléments de poudre de redstone.

LE PATRON DE LA TABLE D'ENCHANTEMENT

Enchante tes outils, armes et armures bien à l'abri dans ta maison.

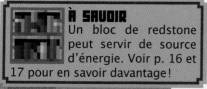

Pour enchanter tes outils, il te faut une table d'enchantement. Et pour fabriquer celle-ci, tu as besoin de quatre blocs d'obsidienne, de deux diamants et d'un livre. C'est un investissement lourd, mais que tu amortiras à chaque fois que tu iras à la recherche de redstone, de diamant ou d'émeraude.

À SAVOIR

Un bloc de redstone peut servir de source d'énergie. Voir p. 16 et 17 pour en savoir davantage !

LE PATRON DU BLOC DE REDSTONE

Il est possible d'obtenir un bloc de redstone à partir de 9 poudres de redstone.

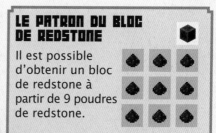

LA POUDRE DE REDSTONE

La poudre de redstone est un produit extraordinaire, indispensable dans presque tous tes circuits à base de redstone. Prends le temps de t'y intéresser et cela te rendra de grands services plus tard! Dans un circuit, la poudre de redstone sert de câble. Elle transmet le signal redstone émis par la source d'énergie jusqu'à un objet à actionner.

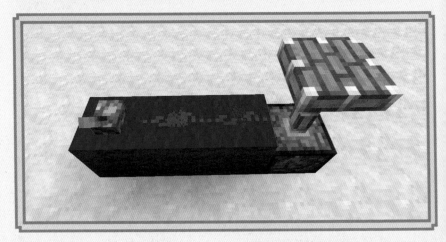

UTILISATION DE LA POUDRE DE REDSTONE

Place la poudre de redstone au-dessus du bloc, et non dessous ni sur les côtés. Quand tu places plusieurs éléments de poudre côte à côte, tu obtiens un câble.

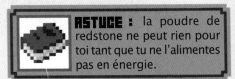

ASTUCE : la poudre de redstone ne peut rien pour toi tant que tu ne l'alimentes pas en énergie.

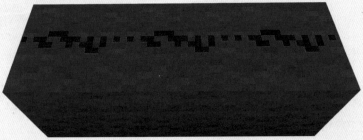

LES PROPRIÉTÉS DE CETTE POUDRE

La poudre de redstone est très pratique. Tu peux lui faire monter et descendre des pentes sans risquer une rupture de connexion. Attention, elle ne peut être verticale que sur la hauteur d'un bloc à la fois.

Elle a beau être très simple d'usage, la poudre doit être utilisée correctement. Branche-la bien sur l'objet qu'elle doit actionner. Et il ne suffit pas de mettre par exemple un piston à côté d'un câble : il faut que le câble soit orienté vers le piston qu'il devra actionner.

Quand la poudre reçoit un signal d'une source d'énergie, elle le transmet à une distance maximum de 15 blocs, au-delà le signal est trop faible pour actionner un objet quelconque. En mettant un répéteur à cet endroit, celui-ci renvoie le signal aux 15 blocs suivants. (Voir p.13 tous les détails sur les répéteurs.)

LA TORCHE

La torche de redstone a plusieurs applications, elle peut notamment servir de source d'énergie pour alimenter un circuit de redstone. Elle est vraiment très pratique.

COMMENT CELA FONCTIONNE

La torche de redstone reste allumée par défaut et, quand elle reçoit de l'énergie ou un signal redstone, elle s'éteint. Il est impossible de l'actionner manuellement comme un interrupteur.

La torche est un élément incontournable des répéteurs (voir ci-contre), des comparateurs et des rails déclencheurs.
L'activation et la désactivation des torches se font avec un retard d'un tick (1/10e de seconde) par rapport au moment où la manipulation est effectuée. Le retard cumulé du circuit peut atteindre plusieurs secondes, et doit être pris en compte dans les calculs.

LE PATRON DE LA TORCHE DE REDSTONE

Fabrique-toi une torche de redstone avec une poudre de redstone et un bâton.

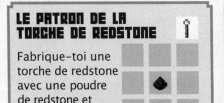

ASTUCE : les torches de redstone donnent une luminosité de 7, la moitié des torches normales. Elles ne font fondre ni la glace ni la neige, et ne bloquent pas la naissance des créatures. Attention aux surprises !

À SAVOIR : un tick dans Minecraft est le temps que met un signal à parcourir la distance séparant la source d'énergie et l'objet à activer que vous cherchez à alimenter. Un retard d'1 tick correspond à 1/10e de seconde, 2 ticks à 2/10e, etc.

LE RÉPÉTEUR

Cet objet est d'une grande utilité : quand tu le connectes, cela t'offre des possibilités infinies !

COMMENT CELA FONCTIONNE

Le répéteur reçoit un signal par son *entrée* et le réémet par sa *sortie* avec une puissance régénérée. Dans

LE PATRON DU RÉPÉTEUR DE REDSTONE

Fais un répéteur avec des torches de redstone, de la poudre de redstone et de la roche.

tous les cas, l'*entrée* du répéteur est le côté tourné vers toi quand tu le poses.

Parmi les rôles du répéteur, citons les deux plus importants :

1 Augmenter la distance à laquelle un fil de redstone peut envoyer un signal. Dans un circuit, le répéteur reçoit un signal de n'importe quelle force et le répète avec sa puissance initiale : d'où son nom.

2 Il introduit un retard entre la réception et l'émission du signal. Cette fonction importante est décisive dans les circuits complexes qui ont besoin de délais précis pour fonctionner correctement : par exemple une porte à piston. Le répéteur peut introduire un délai maximum de 0,4 seconde, mais des répéteurs successifs permettent de rallonger le délai total.

Par défaut, le délai d'un répéteur est d'un tick, mais peut être porté à 2, 3 ou 4 ticks en faisant un clic droit dessus une fois le répéteur en place. Tu remarqueras que la torche bouge chaque fois que tu fais un clic droit.

LE PISTON

Le piston est peut-être l'objet le plus révolutionnaire ajouté à la redstone car il permet aux circuits de déplacer des blocs. Quand il est activé, le piston pousse les blocs qui sont devant lui.

À SAVOIR : un seul piston peut pousser jusqu'à 12 blocs en même temps, dans n'importe quelle direction.

Cinq pistons poussant chacun 12 blocs

14

LE PISTON COLLANT

Les pistons collants sont souvent les plus utiles : non seulement, ils peuvent pousser les blocs, mais aussi les remettre à leur place initiale. Un piston collant pousse vers l'avant quand il est activé et, une fois désactivé, il tire en arrière.

Pistons collants actionnés par des leviers : ils tirent et poussent les blocs.

LE PATRON DU PISTON COLLANT

Fabrique-toi un piston collant avec un piston normal et une boule de slime.

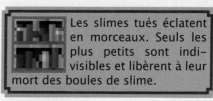

Les slimes tués éclatent en morceaux. Seuls les plus petits sont indivisibles et libèrent à leur mort des boules de slime.

LES SOURCES D'ÉNERGIE

Les torches ne sont pas les seules sources d'énergie à ta disposition. Il y a d'autres façons d'alimenter un circuit. Le tableau ci-dessous montre les différentes manières de le faire.

	Torches de redstone		Leviers		Rails de détection
	Blocs de redstone		Plaques de détection		Coffres piégés
	Boutons		Fil de déclenchement		Capteurs de lumière

CE QUE FAIT UNE SOURCE D'ÉNERGIE

Une source d'énergie envoie un signal redstone à d'autres éléments du circuit comme la poudre de redstone, les pistons et le TNT.

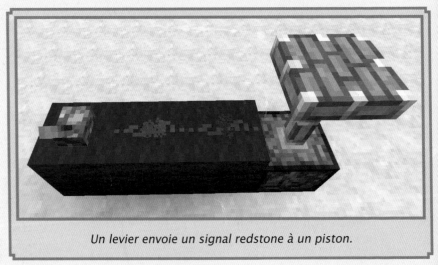

Un levier envoie un signal redstone à un piston.

UTILISE LES SOURCES D'ÉNERGIE

À l'exception du bloc de redstone, du coffre piégé et du capteur de lumière du jour, toute source d'énergie doit être reliée à un bloc normal pour fonctionner.

La source d'énergie envoie alors un signal d'un bloc dans toutes les directions sauf en diagonale.

Toute source d'énergie alimente tous les objets qui la touchent. Les boutons, les leviers, les plaques de pression, les crochets et les rails de détection alimentent le bloc auquel ils sont collés, ainsi que tout ce qui est collé à ce bloc.

ACTIVE ET DÉSACTIVE LES SOURCES D'ÉNERGIE

Un levier a deux positions : marche ou arrêt, ce qui permet le contrôle des circuits et des machines. La seule source d'énergie qui reste allumée en permanence, c'est le bloc de redstone.

ENVOIE TON SIGNAL REDSTONE DANS UNE DIRECTION SPÉCIFIQUE

On a vu qu'une source d'énergie envoie son signal dans toutes les directions, sauf en diagonale. Si tu veux envoyer ton signal dans une direction bien précise, il faut placer près de ta source d'énergie et dans la direction voulue de la poudre de redstone ou un répéteur.

LES SOURCES D'ÉNERGIE

... (SUITE)

Tu viens de voir quelques sources d'énergie, mais il y en a d'autres : elles te seront certainement très utiles, tu vas voir !

LE BOUTON EN BOIS

Émet un signal redstone pendant 1,5 seconde quand on le presse

Doit être fixé sur le côté d'un bloc

Peut être activé par des flèches qui le gardent pressé

LE BOUTON EN PIERRE

Émet un signal redstone d'une seconde quand on le presse

Doit être fixé sur le côté d'un bloc

Ne peut être activé par des flèches

Suis le même patron pour le bois et la pierre.

LA PLAQUE DE DÉTECTION EN BOIS

Émet un signal redstone d'une seconde (sauf si on la garde pressée)

Doit être placée au-dessus du bloc

Activations possibles : joueur, animal, monstre, wagonnet, bateau ou objet tombé

LA PLAQUE DE DÉTECTION EN PIERRE

Émet un signal redstone d'une seconde (sauf si on la garde pressée)

Doit être placée au-dessus d'un bloc

Activée par un joueur ou un monstre, pas par un objet laissé tomber

Suis le même patron pour le bois et la pierre.

LA PLAQUE DE PRESSION PONDÉRÉE

Ne peut être placée qu'au-dessus d'un bloc

N'est activée que par des objets laissés tomber

Émet un signal redstone d'une seconde (sauf si on la garde pressée)

La quantité d'objets laissés tomber sur la plaque augmente la puissance du signal.

Dans ce patron, remplace le fer par l'or pour avoir une plaque de pression pondérée en or.

LE LEVIER

Doit être fixé à un bloc

Sert au joueur pour allumer ou éteindre

Émet un signal redstone continu

LE PATRON

LE CROCHET DE DÉCLENCHEMENT

Fonctionne par paire placée vis-à-vis, à deux blocs d'écart ou plus (jusqu'à 40)

Émet un signal redstone d'une durée de 0,5 seconde (sauf si on le garde pressé)

Relié par un fil de déclenchement à son jumeau

Actionné par : joueur, monstre, animal, wagonnet, bateau et objets laissés tomber

Doit être fixé à un bloc

LE PATRON

L'ÉCLAIRAGE

Quand tu es chez toi, tu allumes la lumière sans réfléchir mais sur Minecraft, cet acte simple demande un circuit redstone, que toi seul peux créer.

 ASTUCE : pour te familiariser avec la redstone sans être perturbé, réalise en mode créatif les exemples de ces quelques pages. Dans ce mode, tu auras à ta disposition tous les matériaux qu'il te faut.

LE PATRON DE LA LAMPE DE REDSTONE

Fabrique une lampe de redstone avec de la poudre de redstone et de la luminite (pierre lumineuse).

SYSTÈME D'ÉCLAIRAGE À LAMPE REDSTONE - L'IDÉE DE DÉPART

Tu peux créer un système d'éclairage à base de redstone avec de la poudre de redstone, un levier et quelques lampes de redstone.

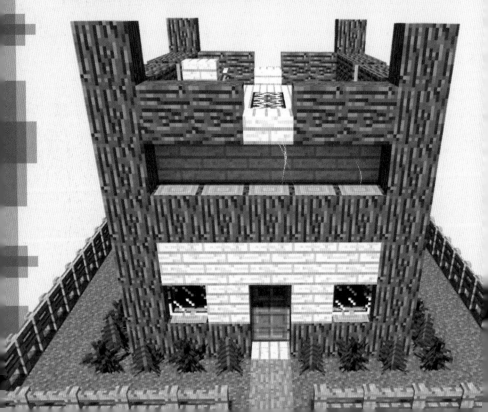

Le jour, le chalet est éclairé par la lumière naturelle qui entre par les fenêtres. Mais quand le soir tombe, des monstres apparaissent à l'intérieur, ce qui est un souci majeur! Il faut donc que tu gardes de la lumière chez toi la nuit. Au lieu de le faire avec des torches normales, sers-toi de la redstone pour faire quelque chose de plus sophistiqué.

Pose une série de lampes de redstone au plafond et relie-les à un levier pour les allumer et les éteindre à ton gré suivant l'heure : tu maîtrises ainsi ton éclairage avec un simple interrupteur.

Connecte les lampes de redstone en mettant de la poudre de redstone sur leur dessus, et prolonge ce câble de poudre jusqu'au bloc auquel est fixé ton levier.

C'est donc un circuit assez simple : une source d'énergie (levier) qui active à distance un autre objet (lampe de redstone), grâce à de la poudre de redstone qui transmet le signal entre les deux objets.

L'ÉCLAIRAGE

... (SUITE)

Tu as maintenant saisi les principes de base d'un circuit. Tu n'auras guère de mal à l'améliorer en lui ajoutant quelques éléments plus sophistiqués. C'est parti?

SYSTÈME D'ÉCLAIRAGE À LAMPE DE REDSTONE AVEC CAPTEUR

Dans ton circuit d'éclairage à redstone, remplace le levier par un capteur de lumière du jour, ton système s'allumera automatiquement au coucher du Soleil et s'éteindra à l'aube. Malin, non?

LE PATRON DU CAPTEUR DE LUMINOSITÉ

Fabrique ce capteur avec du verre, du quartz du Nether et des plaques de bois.

> **À SAVOIR :** Une porte logique est une sorte de machine qui, dans un circuit, accepte certaines combinaisons de signaux à l'entrée pour donner une sortie particulière. C'est un peu plus compliqué qu'un interrupteur. La porte logique NON, ou inverseur, donne en sortie le signal contraire de celui reçu en entrée. C'est bien utile dans les circuits, comme tu vas le voir ci-dessous.

1

Dégage un espace de 4 blocs de long sur ton toit. Places-y des lampes de redstone, et ajoute un capteur de lumière du jour à proximité, à un bloc des lampes. L'exemple ci-dessus est idéal.

2

Mets un bloc à un espace du capteur, et place une torche de redstone du côté tourné vers les lampes. C'est notre porte NON. Enfin relie le bloc et le capteur avec de la poudre de redstone.

3

Pour achever le circuit, mets de la poudre de redstone sur les lampes. Même si la torche ne touche pas le câble de redstone, elle compte comme un bloc entier : le circuit est donc prêt.

4

Le capteur de luminosité émet un signal s'il y a de la lumière. Mais ce signal a été inversé par la porte NON : il est maintenant activé quand il fait noir, ce qui allume les lampes.

Un intérieur bien éclairé sans interrupteur visible !

LES PORTES À PISTON

Les portes à piston ont beaucoup de succès car elles s'ouvrent comme par magie et leur construction est une excellente façon d'apprendre les éléments vitaux de la redstone.

PORTE COULISSANTE

 ASTUCE : n'oublie pas que quand tu poses un piston collant, le côté collant est tourné vers toi.

 À SAVOIR Tu ne dois pas poser les blocs directement sur la poudre de redstone, mais un bloc plus haut.

1

Construit une arche 3 x 3 blocs, en ménageant un passage de 2 blocs au milieu. Puis pose 2 pistons collants à droite de la porte, tournés vers l'intérieur, et pose 2 blocs devant les pistons.

 Avec la redstone, les créateurs utilisent souvent des blocs de laine de couleurs différentes pour identifier les différentes parties de leurs circuits. Ces couleurs aident à comprendre comment les circuits sont créés : nous les avons utilisés partout.

2

Creuse un trou de 2 blocs derrière les pistons. Place 1 bloc de laine bleue au fond, et une torche de redstone par-dessus pour créer ta porte logique NON.

3

Place un autre bloc par-dessus la torche, et mets de la poudre de redstone dessus. Celle-ci suffira comme source d'énergie pour les 2 pistons. Fini!

4

Creuse une tranchée profonde de 2 blocs entre le bloc de laine bleue et la porte. Dépose de la poudre de redstone au fond de la tranchée jusqu'à la porte. Cela te permettra de connecter une plaque de pression aux pistons.

LES PORTES À PISTON

... (SUITE)

5

Rebouche ta tranchée avec des blocs de ton choix et dépose sur le seuil une plaque de pression qui déclenchera l'ouverture automatique de la porte. Grâce à la porte logique NON, la plaque de pression fera ouvrir la porte par les pistons au lieu de la fermer, ce qui est nettement plus utile.

6

Pour que le déclenchement de la porte se fasse dans les deux sens, creuse une tranchée identique depuis l'arrière de la porte jusqu'aux pistons et places-y une autre plaque de pression. Et cache ton circuit avec des blocs.

 ATTENTION : une porte à piston activée par une plaque de pression est une belle façon d'accueillir les gens chez toi, mais n'oublie pas que ces plaques peuvent être activées également par tes ennemis! Bonjour les zombies dans ta salle à manger!

Mais qui voilà chez moi?

LA GARE À WAGONNETS

Avant que les chevaux ne soient ajoutés dans le jeu, les wagonnets constituaient le moyen le plus chic de voyager mais ils sont toujours très appréciés. Grâce aux circuits de redstone, leur utilisation est encore plus intéressante.

LA GARE DE BASE

Il te faut des rails déclencheurs et un aiguillage pour créer la gare de base. Les rails déclencheurs accélèrent le wagonnet, et l'aiguillage donne le choix entre deux gares de destination.

LE PATRON DU WAGONNET

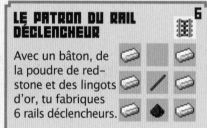

5 blocs de minerai de fer passés au four te donneront 5 lingots de fer, de quoi faire un wagonnet.

LE PATRON DES RAILS

16

Avec 1 bâton et 6 lingots de fer, tu fabriques 16 éléments de voie ferrée longs d'un bloc.

LE PATRON DU RAIL DÉCLENCHEUR

6

Avec un bâton, de la poudre de redstone et des lingots d'or, tu fabriques 6 rails déclencheurs.

1

Construis un L haut de 2 blocs dans un endroit dégagé. Mets 5 blocs pour la grande barre, et 3 pour la petite.

2

Encastre dans ton L un T haut d'un bloc, puis ajoute une pile de 2 blocs comme sur l'image. Place ton levier tout à fait à gauche, sur le bloc du bas.

3

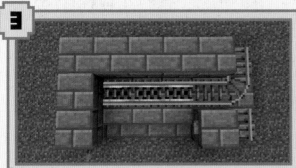

Place un bouton sur la colonne haute de 2 blocs. Il sera à ta portée quand tu es dans le wagonnet. Construis un aiguillage en T, pose 3 rails déclencheurs et 4 rails normaux. Ajoute des escaliers menant aux rails.

4

Creuse une tranchée profonde d'un bloc en dessous du rail qui tourne. Creuse encore d'un bloc, et remplis avec de la laine bleu ciel, comme ci-dessus. Puis ajoute un dernier bloc bleu ciel. Enfin mets de la poudre de redstone depuis l'arrière du levier jusqu'au dernier bloc bleu marine.

 À SAVOIR : les wagonnets ont une vitesse maximum de 13km/h, et ils vont plus loin s'ils transportent quelque chose ou quelqu'un.

LA GARE À WAGONNETS

... (SUITE)

5

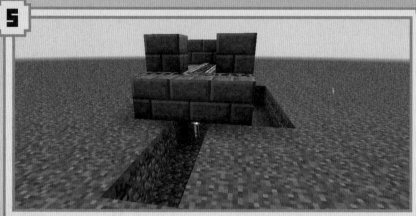

Creuse une tranchée d'un bloc sous l'aiguillage, jusqu'au bloc de laine. Place une torche de redstone sur le côté du bloc de laine, tourné vers l'aiguillage. Cette torche émettra le signal pour réorienter les rails.

6

Bouche ta tranchée et prolonge tes voies jusqu'aux 2 destinations. Quand tu tires ton levier, ton aiguillage change de position. Pose le wagonnet sur les rails, installe-toi dedans, appuie sur le bouton et c'est parti pour le grand frisson !

 ASTUCE : quand tu passes sur un rail déclencheur qui n'est pas alimenté, il freine et souvent arrête même le wagonnet. Tu peux te servir de rails déclencheurs non alimentés pour créer d'autres gares le long de ta voie ferrée.

UNE GARE AMÉLIORÉE

Avec un peu de pratique, tu pourras bientôt construire une gare comme celle-ci. Elle comprend le choix de destinations multiples, le choix des lumières, le choix des sons, des voies séparées pour l'arrivée et le départ, et un distributeur de wagonnets.

Le concept est le même que celui de la gare de base : la source d'énergie permet de faire basculer l'aiguillage et de choisir la gare de destination, mais dans le cas présent, c'est un système à bouton différent qui permet de choisir la destination.

CIRCUIT MONOSTABLE

Le circuit monostable, ou à pulsation variable, est une des portes logiques les plus importantes des machines complexes de redstone. Il permet de garder un appareil allumé pendant un temps donné.

 À SAVOIR : le délai normal entre allumage et extinction d'une alimentation est d'un tick, soit 1/10e de seconde. Volontairement bref, il peut être combiné avec un piston collant pour créer une bascule (voir p. 34–35).

Le circuit monostable est à la base de nombreuses créations en redstone. Il permet de contrôler la durée d'ouverture d'une porte ou le nombre de flèches tirées par un distributeur.

PIÈGE AUTOMATIQUE

Voici un circuit monostable appliqué à une trappe. Le circuit est réglé pour que la trappe soit fermée mais, si quelqu'un marche dessus, tu peux actionner l'interrupteur et la trappe s'ouvrira rapidement. Et l'affaire est dans le sac !

1

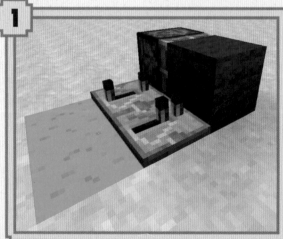

Creuse un trou large de 2 blocs et remplis-le de laine verte. Puis pose 2 répéteurs dos à la laine. Règle celui de gauche à 4 ticks avec le clic droit, et laisse celui de droite à un tick.

Pose un piston collant contre le répéteur à 4 ticks, tourné vers la droite, et ajoute un bloc de laine bleu marine comme sur l'image.

2

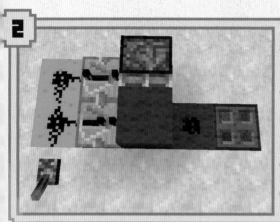

Creuse un trou à côté du bloc de laine bleue et mets-y un autre bloc bleu. Place un levier à côté du circuit vert.

Dépose la poudre de redstone comme sur l'image. Le circuit de cet exemple est connecté à la trappe avec un trou en dessous, mais le choix du mécanisme t'appartient.

1

Quand tu remets le levier à sa position initiale pour activer le circuit, la trappe s'ouvre pendant un temps défini, selon le nombre de ticks rentrés sur le répéteur à côté du piston. Puis, quand le piston écarte le bloc bleu, le circuit est coupé et la trappe se referme.

 Dans cet exemple, la trappe s'ouvre et se referme vite. Si tu veux prolonger l'ouverture, intercale de nouveaux répéteurs sur la rangée arrière.

PATRON DE LA TRAPPE

Avec 6 planches de bois, fabrique-toi une trappe pour piéger tes ennemis.

LA BASCULE

Non, il ne s'agit pas d'une balance pour peser mais d'un circuit très important. Il faut le voir comme un générateur d'électricité, que l'on peut allumer ou éteindre en appuyant sur un seul bouton.

La bascule est particulièrement utile quand tu souhaites utiliser un bouton à la place d'un levier pour actionner des mécanismes comme les portes.

L'exemple ci-dessous utilise une bascule en T à piston collant. Rien que ça ! Quand un signal arrive au circuit, la bascule allume sa sortie. Au signal suivant, elle l'éteint et ainsi de suite.

1

Crée un circuit avec 2 blocs de laine verte posés à un bloc de distance. Pose un piston collant tourné vers le haut au milieu, entre les blocs de laine.

2

Ajoute un bloc de laine sur le piston. Puis place de la poudre de redstone sur le bloc de gauche et, sur le bloc de droite, un répéteur qui tourne le dos au bloc du milieu.

3

Place un piston collant tourné vers la droite à côté du répéteur, un bloc plus haut. (Il faut d'abord poser un bloc en dessous, puis le détruire). Fixe un bloc de redstone au piston collant. Enfin, place un bouton sur le côté gauche du bloc vert, et met de la poudre sur le sol, comme sur l'image.

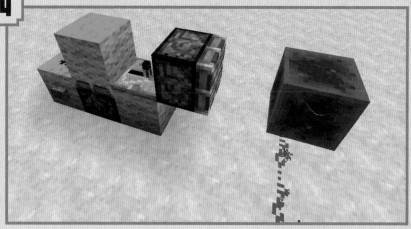

Quand tu appuies sur le bouton, le piston collant de droite écarte le bloc de redstone, ce qui alimente le câble. Appuie de nouveau et le piston retire le bloc, ce qui coupe le circuit.

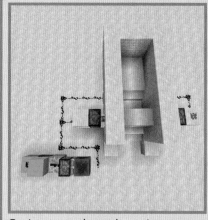

Ceci est une bascule actionnant une porte à piston (comme aux p. 24 et 25). La bascule alimente le circuit quand elle est allumée. Puisque la bascule émet un signal continu, tu n'as pas besoin de craindre de te faire claquer la porte au nez : prends ton temps!

L'HORLOGE

Les horloges sont des circuits dont la sortie s'allume et s'éteint constamment, ce qui est utile dans beaucoup de machines comme les alarmes et les catapultes. Ce n'est pas évident, mais ces circuits permettent de réaliser des merveilles!

L'HORLOGE À 3 TORCHES DE REDSTONE

Une horloge à torches se compose de torches de redstone montées en série qui s'allument et s'éteignent les unes les autres en permanence. Le résultat est un signal de sortie clignotant. L'horloge à 3 torches s'allume et s'éteint tous les 3 ticks. On peut mettre davantage de torches mais toujours un nombre impair dans la boucle pour permettre à chacune d'éteindre la suivante avant d'être elle-même éteinte par la précédente. Si tu utilises un nombre pair de torches, la moitié d'entre elles restera allumée en permanence, et l'autre éteinte pour toujours. Pas vraiment utile…

1

Dans un endroit dégagé, construis ce circuit en laine vert clair. Pose 2 blocs séparés par une tranchée de 2 blocs, et ajoute 2 blocs pour remplir la tranchée.

2

Répète l'étape 1 pour créer une nouvelle ligne verte. Ajoute les torches, puis une tranchée de blocs bleu marine pour réunir les circuits verts. Connecte les torches avec de la poudre.

DE L'HORLOGE À 3 TORCHES AU DISTRIBUTEUR DE FLÈCHES

Tu sais maintenant construire une horloge à 3 torches. Tu peux appliquer ton savoir-faire à la construction d'un distributeur de flèches qui constitue une arme extrêmement utile.

LE PATRON DU DISTRIBUTEUR

Fabrique ton distributeur avec 7 blocs de pierre, 1 poudre de redstone et 1 arc.

L'ARBALÈTE AUTOMATIQUE

3

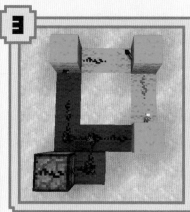

Place un bloc à l'angle du circuit bleu, et un distributeur par-dessus. Mets de la poudre de redstone sur le distributeur (voir ci-dessous). Pour connecter le circuit, pose un autre bloc contre le distributeur avec de la poudre de redstone.

ASTUCE : quand tu poses un piston ou un distributeur, il se met face à toi. Attention, il distribue du côté opposé.

4

Mets un levier sur le côté d'un des blocs bleus pour allumer et éteindre le circuit. Remplis de flèches le distributeur, actionne le levier et volent les flèches !

Dans les versions PC ou Mac, il n'est pas possible de mettre de la poudre de redstone sur un distributeur par un clic droit : cela ouvre le distributeur. Pour mettre de la poudre de redstone, il faut en plus garder appuyée la touche shift. Attention : sauf quand tu voles !

L'HORLOGE
... (SUITE)

HORLOGE À RÉPÉTEURS

Elle est formée de 2 répéteurs qui se transmettent en permanence un signal en boucle. Pour empêcher les répéteurs de démarrer spontanément, on les met en route par un signal d'un tick émis par un circuit monostable de sorte que les répéteurs ne s'allument que pendant un tick avant de s'éteindre de nouveau. Ils se renvoient ainsi le signal en boucle, s'allumant et s'éteignant en permanence. Cela donnera à ton distributeur de flèches une cadence de tir redoutable.

1

Choisis un endroit dégagé et place 4 blocs bleu marine en carré, plus 1 sur le côté. Celui-ci est l'extension qu'il te faut pour boucler.

2

Place 2 répéteurs tête-bêche sur la laine bleue, et une ligne de redstone au départ du répéteur du haut. Ajoute le circuit vert dessus, formé d'un répéteur tourné vers la gauche, d'un piston collant tourné vers le haut et d'un bloc sur le piston, avec une ligne de redstone.

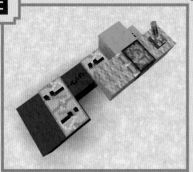

3

Pour la bascule, construis en l'air le circuit rose au niveau du bloc vert du haut. Mets un piston collant orienté à gauche (vers les répéteurs), un bloc à l'arrière surmonté d'un levier et un bloc à l'avant.

4

Mets un escalier de blocs devant les répéteurs. Place un distributeur par-dessus et de la poudre de redstone comme précédemment.

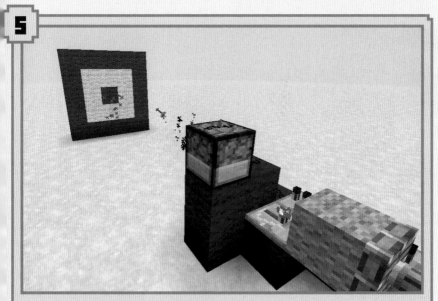

5

Charge ton distributeur de flèches. Tire le levier et les flèches vont partir à une cadence hallucinante. De quoi annihiler tes ennemis!

L'ÉCLAIRAGE DE LUXE

C e système d'éclairage ne fonctionne pas en manipulant juste un interrupteur, il entre et sort physiquement la source lumineuse de la pièce grâce à un échangeur de blocs. Problème délicat mais qui mérite largement un effort.

MATÉRIAUX À RÉUNIR

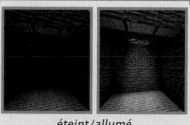

éteint/allumé

1

Fais de la place au-dessus de la pièce à éclairer. Tu auras au moins besoin d'une surface de 5 x 3 blocs. La source de lumière descendra du plafond, donc celui-ci ne changera pas d'aspect. Fais juste un trou, là où tu souhaites faire apparaître ta pierre lumineuse quand tu actionnes l'interrupteur.

2

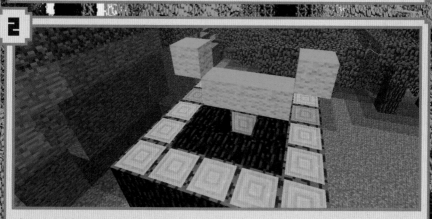

Aligne 3 blocs de laine verte juste derrière ton trou, et ajoute un bloc supplémentaire en diagonale à chaque extrémité.

L'ÉCLAIRAGE DE LUXE
... (SUITE)

3

Place une torche de redstone sur le bloc vert central, et ajoute 2 répéteurs de chaque côté de cette torche. Ils doivent être dos à la torche, et tournés vers les 2 blocs des extrémités. Ajoute une torche de redstone sur le côté de ces 2 blocs, et pas au-dessus.

4

Place un piston ordinaire juste sous la torche de redstone de gauche, tourné vers le trou dans le plafond. Mets un piston collant à 1 bloc au-dessus du plafond, tourné vers le bas, dans le trou : le bloc pourra coulisser sans souci, il n'aura pas besoin de défoncer le toit. La mise en place est délicate : pose 3 blocs au-dessus du trou, puis enlève les 2 plus bas. Saute dans le trou, regarde vers le haut et place ton piston collant sous la laine verte.

5

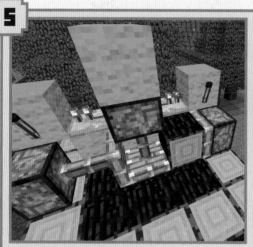

Ajoute un bloc de plafond ordinaire à droite du piston collant, puis comble le trou dans le plafond avec un bloc de pierre lumineuse, en vérifiant qu'il touche le piston collant. Puis ajoute un autre piston tourné vers la plaque, qui doit être similaire à celles du reste de la terrasse.

6

Choisis si ton levier doit se trouver ou pas à l'intérieur de la pièce, et pose un levier ou un bouton en conséquence. Connecte-le au circuit principal. Enfin, essaie ce circuit de torches vertical si tu veux économiser tes ressources.

LA PORTE DE JEB_

En fait, cette porte n'a pas été créée personnellement par Jeb_ (Jens Bergensten), développeur en chef chez Minecraft; mais c'est lui qui a découvert ce mécanisme sur Internet lors de l'ajout des pistons.

Le dessin a changé de façon spectaculaire au fil du temps, mais l'idée de base est toujours la même. La porte est invisible quand elle est fermée, elle n'est pas en saillie par rapport au mur. Quand on l'active, elle glisse et dévoile un passage secret.

MATÉRIAUX À RÉUNIR

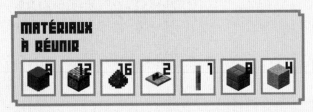

1

Choisis l'endroit. Dans cet exemple, c'est une falaise, qui cachera en fait une pièce secrète. Décide ensuite la façon dont tu souhaites ouvrir la porte. Il y a plusieurs possibilités, mais la plus simple est d'utiliser un levier caché à proximité, et connecté à la porte.

DIFFICULTÉ

2

Pose ton levier à l'endroit voulu. Quant à la porte, il te faut un volume large de 6 blocs, haut de 4 et profond d'au moins 3. Plus tu augmentes la profondeur et plus l'installation de la porte est facile.

3

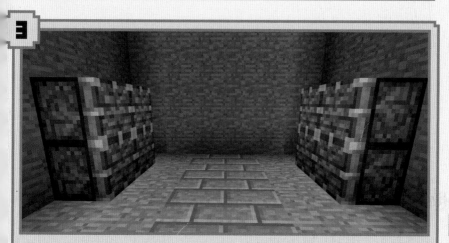

Détermine le centre de ton volume et crée un chemin de 2 x 4 blocs au milieu, avec de la pierre taillée. Place 4 pistons collants de chaque côté, sur 2 rangées de 2 comme ci-dessus, séparées par une distance de 4 blocs. Ces pistons feront glisser la porte de côté une fois que celle-ci sera décollée du mur.

LA PORTE DE JEB.

... (SUITE)

4

Rajoute 2 pistons collants de chaque côté, tournés vers l'avant de la zone dégagée, et empilés l'un sur l'autre. Pose un bloc devant chacun de ces pistons. Évidemment, il faut qu'ils soient du même matériau que le reste de la paroi : de la roche en l'occurrence.

5

6

Pose un bloc de laine bleu marine sur chaque piston et deux autres au milieu. Puis mets un répéteur de chaque côté, tourné vers l'extérieur. Les répéteurs doivent avoir un délai de 2 à 4 : 1 ne suffit pas. Mets de la poudre de redstone sur les autres blocs pour connecter les pistons.

Teste le système en mettant un levier près du centre, et en l'actionnant. La porte doit s'enfoncer dans la paroi, et s'y confondre. Si le test est satisfaisant, retire le levier provisoire : tu te serviras du levier caché installé à l'étape 2.

7

Il te faut maintenant brancher ton levier à la redstone sur la porte. Trace un câble de redstone de la porte au levier. Il faut que le câble arrive sur la partie centrale en haut de la porte. Cela activera les deux battants de la porte.

Enfin, cache le mécanisme. Tu peux alors construire une pièce, une base ou ce que tu voudras derrière cette entrée connue de toi seul.

LE PIÈGE À LAVE

Ce piège est difficile à repérer, se déclenche très rapidement et tue presque à tous les coups! Il consiste à retirer le sol sous les pieds d'un joueur quand celui-ci ouvre ton coffre piégé : le cambrioleur tombe alors dans la lave. Ça fait mal!

À SAVOIR

Un coffre piégé émet un signal redstone par tous ses côtés quand on l'ouvre : radical contre le vol!

MATÉRIAUX À RÉUNIR

LE PATRON DU COFFRE PIÉGÉ

Le coffre piégé simple est formé d'un coffre et d'un crochet de déclenchement. Tu peux piéger de la même façon un coffre double.

1

Ce piège est formé d'un couloir d'au moins 5 blocs de long, 2 de large et 3 de haut, placé au-dessus d'une fosse de lave.

Celle-ci doit mesurer 3 blocs de long, 2 de large et 3 de profondeur. Ajoute un double coffre piégé au bout du couloir, reposant sur 2 blocs.

2

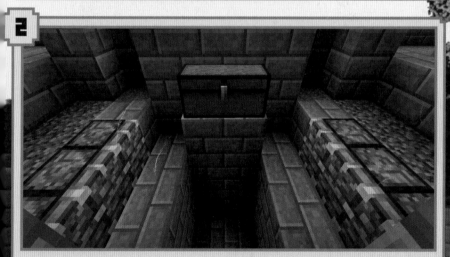

Détruis provisoirement les murs du couloir pour construire le mécanisme en redstone. Pour créer le plancher coulissant, pose 3 pistons collants de chaque côté de la fosse, comme ci-dessus.

LE PIÈGE À LAVE

... (SUITE)

3

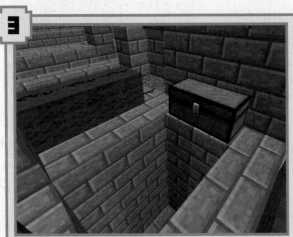

Pose des blocs devant les pistons : ils formeront le sol du couloir. Dans cet exemple, ils sont en pierre taillée, comme le reste de la construction.

Pose un bloc de laine bleu marine sur chaque piston collant et mets de la poudre de redstone par-dessus. Cela actionnera en même temps tous les pistons de chaque côté.

4

Pour alimenter le coffre, ôte un bloc de chaque côté pour avoir accès aux blocs sous le coffre. Mets les torches de redstone contre les blocs sur lesquels le coffre est posé.

5

Cache les torches avec des blocs de pierre taillée (les torches les alimenteront, et le sol se mettra en place). Pour alimenter les pistons, pose un bloc de laine bleu marine contre le bloc de pierre taillée et mets de la poudre de redstone sur les deux, de chaque côté.

6

Teste ton piège en essayant d'ouvrir le coffre : normalement, tu tombes dans la fosse.

7

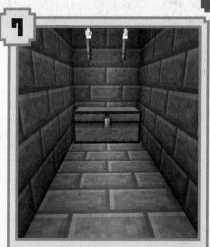

Enfin, remplis la fosse de lave et construis les murs du couloir pour cacher la redstone.

Tout est prêt pour un barbecue au cambrioleur !

CANON DOUBLE CHARGE

Ce canon est une version améliorée du canon à TNT ordinaire, avec lequel tu tires du TNT sur tes ennemis. Le canon double charge utilise un petit retardateur à l'arrière pour introduire un deuxième bloc de TNT avant que le coup ne parte : cela double la puissance du canon à chaque tir. De quoi faire un carton !

À SAVOIR

Le principe du canon à TNT est le suivant : l'explosion ne détruit pas de blocs si elle a lieu dans l'eau. En immergeant les blocs de TNT, le canon n'explose pas sur lui-même, mais tire un autre bloc de TNT dans la même direction.

MATÉRIAUX À RÉUNIR

13   8   8   7

1   1   1

5   5

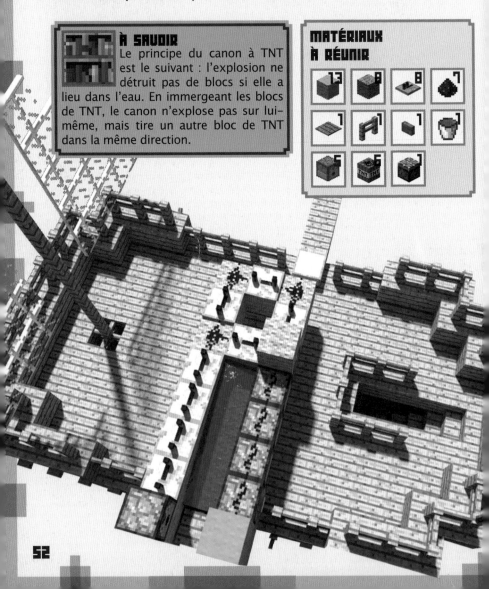

1

Pose une barrière et une plaque de pression en bois dessus. Superpose 3 blocs à droite, puis 2 à gauche avec un distributeur par-dessus, tourné vers la tour de 3 blocs.

2

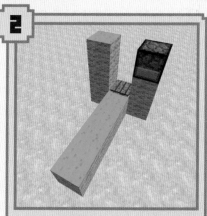

Pose sur le sol une rangée de 4 blocs contre la plaque de pression. Le TNT sera tiré à partir de la plaque de pression et l'eau remplira la rangée de blocs.

3

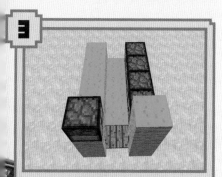

À droite de cette citerne, mais un bloc plus haut, pose une rangée de 4 distributeurs tournés vers l'intérieur. En face, pose une rangée de 4 blocs. Rappel : garde la touche shift appuyée pour placer tes distributeurs flottants côte à côte dans l'édition PC/Mac.

4

Ce circuit rose est un retardateur : un carré 3 x 3 avec un trou et un bord en moins, comme ci-dessus.

CANON DOUBLE CHARGE
... (SUITE)

5

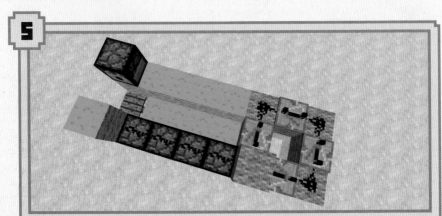

Sème de la poudre de redstone sur les distributeurs (voir Astuce p. 37). Puis au bord du circuit rose, remplace le bloc manquant par un piston collant tourné vers le haut, avec un bloc rose par-dessus. Pose 4 répéteurs réglés à 4 ticks sur les blocs roses, comme sur l'image. Réunis-les avec de la poudre de redstone.

6

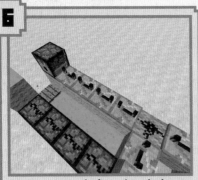

Ajoute une chaîne de répéteurs pour connecter le circuit rose au distributeur à l'avant. Règle les retards à 4 ticks pour que le TNT parcoure une distance suffisante avant d'exploser.

7

Emplis d'eau l'espace du milieu. Pose un bouton sur le côté d'un distributeur, (peu importe lequel mais surtout souviens-toi de garder la touche shift appuyée sur l'édition PC/Mac). Remplis de TNT tes 5 distributeurs. Ton canon est prêt à tirer. Essaie-le. BOUM!

LA SUPERCATAPULTE

Cette étonnante machine tire des flèches incendiaires depuis un distributeur à raison de 5 par seconde, juste en appuyant sur un bouton. De quoi tenir à l'écart les créatures hostiles!

MATÉRIAUX À RÉUNIR

«C'est moi ou ça commence à sentir le roussi?»

1

Construis un mur carré de 3 x 3, avec un trou de la taille d'un bloc au milieu. Pose un autre bloc juste à l'arrière de ce trou, et ajoute dessus un distributeur de flèches tourné dans la direction du tir souhaité.

2

Place un portillon devant le trou : pour cela, mets d'abord un bloc sur le sol, puis le portillon par-dessus et enfin détruis le bloc. Pour ouvrir le portillon, fais un clic droit avec ta souris. Peu importe qu'il s'ouvre dans un sens ou dans l'autre.

3

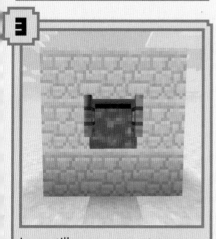

Le portillon se comporte comme un bloc massif : il te permet de remplir le trou de lave sans qu'elle s'épanche devant.

Place la lave ici

TNT **ATTENTION :** le plein de lave est délicat à faire. Verse-la derrière le portillon et vise bien le point indiqué ci-dessus. Méfie-toi particulièrement si tu joues en mode survie : si tu te verses de la lave dessus, tu ne survivras pas à tes brûlures…

LA SUPERCATAPULTE
... (SUITE)

4

Pour que ton distributeur crache des flèches à une bonne cadence, il te faut une horloge rapide. Pose 4 blocs au niveau inférieur à celui du distributeur.

5

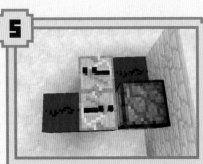

Ajoute de la poudre de redstone aux deux extrémités et 2 répéteurs au milieu : l'un tourné vers le distributeur et l'autre dans l'autre sens. L'ensemble constitue une horloge.

6

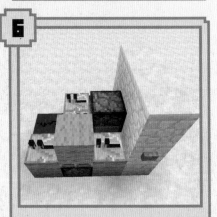

Pour allumer et éteindre le circuit en pressant sur un bouton, tu as besoin d'un circuit monostable à piston simple, ici en vert. Ajoute ensuite le bouton sur le côté du cadre.

7

Ajoute 4 blocs roses : 2 sur le sol en diagonale et 2 autres un niveau au-dessus en quinconce. Pour placer ces deux derniers, pose d'abord 2 blocs sur le sol comme support, puis détruis-les.

8

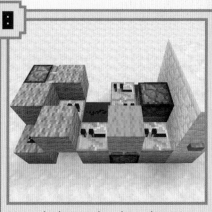

Mets de la poudre de redstone sur le bloc rose inférieur le plus éloigné du distributeur, et un répéteur sur l'autre bloc rose inférieur (tourné vers le distributeur). Ajoute un piston collant contre le circuit rose comme ci-dessus, puis ajoute un bloc rose devant ce piston collant. Enfin, charge ton distributeur de flèches et appuie sur le bouton : le tir commence ! Appuie de nouveau sur le bouton pour l'arrêter.

Deux catapultes sont en place derrière les remparts de ce fort. Personne ne peut y pénétrer !

L'ASCENSEUR DE 14 ÉTAGES

L'ascenseur de 14 étages créé par Cubehamster est l'un des projets individuels les plus spectaculaires jamais réalisés. Il permet de se rendre à n'importe lequel des 14 étages grâce à un ascenseur à piston ultrarapide. La classe !

À chaque étage, le joueur accède à une interface utilisateur pour choisir son étage de destination, comme dans la réalité.

CUBEHAMSTER : cet expert en redstone unanimement reconnu enseigne la physique et la chimie aux Pays-Bas. Il est incapable de résister à un défi !

L'ASCENSEUR À PISTONS

Le concept de départ de cet ascenseur est simple : la cabine étant large de 2 blocs, le joueur doit se placer exactement au milieu, un pied sur chaque piston. Il est poussé vers le haut alternativement par le piston de gauche et celui de droite, jusqu'à l'étage souhaité.

Ce concept a été initialement démontré par le joueur Brows of Steel, c'est aujourd'hui le mécanisme standard pour la construction de nombreux ascenseurs à pistons.

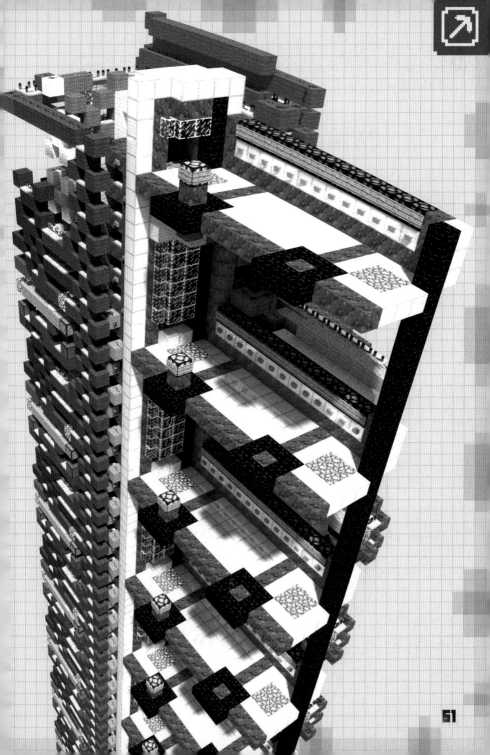

ASCENSEUR DE 14 ÉTAGE

... (SUITE)

LE CHOIX DE L'ÉTAGE

La partie mécanique de l'ascenseur est simple à construire, mais le circuit permettant de choisir l'étage est d'un tout autre niveau de complexité !

Comme dans un véritable ascenseur, on appuie sur un bouton différent pour chaque étage. Chaque bouton envoie un signal redstone quand on appuie dessus. Ces signaux ont une longueur différente en fonction du bouton, pour que l'ascenseur identifie l'étage d'après la longueur du signal.

LA FONCTION SERVICE INSTANTANÉ

Le mieux dans cet ascenseur, c'est que le joueur n'a pas besoin d'attendre la cabine : c'est mieux qu'en vrai ! Dès que le joueur choisit un étage en appuyant sur un bouton, le signal est envoyé directement à l'étage où il se trouve et la cabine est disponible immédiatement : elle n'a plus qu'à se rendre à l'étage demandé.

RÉSUMÉ

Dans la version 1.5.2, l'élévateur à piston constituait la pointe de l'innovation en termes d'ascenseur. Sa vitesse et son efficacité étaient imbattables. Son plan étant trop gros et compliqué à créer en mode survie, Cubehamster avait aussi conçu un modèle plus simple et pratique qui transportait le joueur d'un étage à la fois. Il avait vraiment pensé à tout !

L'AFFICHAGE GÉANT

Ca ne se voit pas tout de suite, mais cette énorme machine redstone crée une image si grande qu'elle n'est visible que sur une carte Minecraft.

SETHBLING : avant de découvrir Minecraft, Seth était ingénieur logiciel chez Microsoft.

Tu peux voir d'autres créations de Seth Bling sur : **www.youtube.com/sethbling**

LE MÉCANISME D'AFFICHAGE

La couleur de chaque pixel est la couleur dominante d'un carré de 2 x 2 blocs. Vue d'en haut, la machine a un bloc de bois et un bloc de pierre dans chaque cellule. La redstone y pousse 2 autres blocs et cela détermine la couleur du pixel. Quand tu regardes sur une carte le résultat obtenu par cet affichage géant, tu vois une image comme celle de Notch ci-dessus. Impressionnant !

LE CHANGEUR DE PIXEL À PISTONS

Cette machine peut être programmée pour plusieurs images. Des mécanismes appelés boucles à piston disposent des blocs dans la zone d'affichage jusqu'à ce que l'image soit prête. Elle apparaît alors sur une carte. Pour changer l'image, il suffit d'appuyer sur un bouton : les boucles à pistons mettent en place de nouveaux blocs et la nouvelle image apparaît sur la carte.

LA REDSTONE

C'est la redstone qui gère toutes les boucles à pistons en même temps, et à partir d'un seul bouton !

SUPER CHRONOMÈTRE

Ce super chronomètre, chef-d'œuvre de l'ingénierie redstone, a été créé par JL2579 et Cubehamster. Il mesure le temps au 10e de seconde, plus vite qu'un clin d'œil!

Il utilise une mémoire ultrarapide pour mesurer le temps et un système de décodage compact pour afficher les 4 chiffres numériques. Il possède un bouton marche/arrêt et un deuxième pour la remise à zéro.

JL2579 : spécialiste des créations spectaculaires avec des pistons et de la redstone, et amateur de grandes exploitations agricoles. Il se passionne pour les limites de ce qu'on peut faire en mode survie.

D'autres créations de JL2579 sur :
www.youtube.com/JL2579

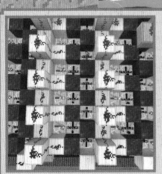

MÉMOIRE À VERROU POUR UN RÉPÉTEUR ULTRARAPIDE

Le cœur de ce chronomètre est un système de mémoire qui stocke et enregistre instantanément les chiffres de l'afficheur numérique à 4 chiffres.

Ce système utilise la fonction verrou du répéteur. Quand on appuie sur le bouton stop, les répéteurs bloquent le temps affiché à cet instant. Quand on appuie de nouveau, l'affichage reprend là où il s'était arrêté. Le verrou du répéteur doit traiter l'information très vite car l'unité d'enregistrement du chronomètre est inférieure à 1 seconde.

À SAVOIR : cet affichage numérique s'appelle afficheur à 7 segments. Il rappelle les LED des montres réelles. Chaque chiffre est représenté par une combinaison particulière de 7 segments de LED, comme ici 7 segments de lampes de redstone.

SUPER CHRONOMÈTRE
... (SUITE)

LE DÉCODEUR

Cette mémoire a besoin d'un décodeur spécial pour afficher les chiffres avec des segments de lampes de redstone. Ce remarquable composant de redstone utilise pour cela un système dit coulissant.

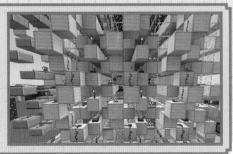

Le système coulissant pousse des séries de blocs (disposés verticalement pour gagner de la place) devant des répéteurs alimentés en permanence. Quand un bloc permettant au signal redstone de passer est intercalé, le signal du répéteur est transmis par un câble de redstone aboutissant directement à l'arrière du segment correspondant de l'afficheur.

Mais ce système a un petit inconvénient : comme le système coulissant doit être ramené dans sa position par défaut, il n'est pas assez rapide pour la mémoire à verrou du répéteur qui le commande. Par conséquent, les 10e de seconde ne sont affichés qu'une fois le bouton stop pressé.

RÉSUMÉ

Le chronomètre de JL, un des plus compacts jamais conçus, est typique des machines redstone haut de gamme. Le concept n'est pas unique, mais la façon dont il affiche le temps chronométré l'est.

 À SAVOIR : des chronomètres comme celui-ci servent à chronométrer les sauts et autres tâches de nombreux mini-jeux et cartes d'aventures. Un excellent exemple est la carte de FVDisco's Sonic the Hedgehog.

LA RUÉE VERS L'OR

La ruée vers l'or est un mini-jeu en redstone fort amusant! Il s'agit de contrôler un villageois dans un wagonnet qui le propulse sur plusieurs toboggans pour ramasser des lingots d'or, en évitant le TNT qui lui tombe dessus. Un fun explosif!!

Le joueur debout sur un quai déplace un wagonnet en appuyant sur une plaque de pression et en la relâchant. Il peut changer la direction de la voie grâce à un levier. Il existe trois niveaux de difficulté : le TNT peut tomber sur 1, 2 ou 3 des quatre voies.

 CNB : cet expert anglais, appelé Nick Farwell, est connu pour ses excellents tutoriels.

LES BOUCLES À PISTONS ET L'AFFICHEUR 7-SEGMENTS

Le score du joueur est stocké dans une boucle à pistons. C'est une sélection de blocs déplacés en permanence par des pistons. Les blocs allument et éteignent des lampes de redstone, selon le type de bloc : verre ou opaque. Le verre ne laisse pas passer le signal redstone (équivalent de l'état arrêt) contrairement au bloc opaque qui transmet le signal et allume la lampe.

 ASTUCE : si tu veux de bons scores, joue au niveau de difficulté le plus élevé.

LA RUÉE VERS L'OR
... (SUITE)

LE GÉNÉRATEUR ALÉATOIRE REDSTONE

Cette machine choisit de façon aléatoire les glissières dans lesquelles l'or et le TNT tombent, en détectant quand une poule passe sur une plaque de pression!

Chaque fois qu'une poule active une plaque de pression, celle-ci envoie un signal à une boucle à pistons qui contrôle la glissière où tombe le TNT ou l'or. Il faut plusieurs poules pour obtenir un nombre et une variété suffisante de résultats.

RÉSUMÉ

Le mécanisme de la ruée vers l'or est un fouillis de boucles à pistons et de portes logiques. Il comprend des horloges, des circuits monostables, des portes ET, des portes NON, des transistors et des bascules T!

C'est un appareil complexe uniquement formé de composants redstone courants, assemblés avec ingéniosité pour créer une machine incroyable.

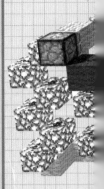

LE SIÈGE DES ZOMBIES

Le siège de zombie est un mini-jeu de combat très amusant. Le joueur doit défendre sa base contre des hordes de zombies, qui s'en approchent en tirant dessus avec des arcs et des canons à TNT. Apocalypse zombie!

Les premières vagues sont faciles et permettent l'échauffement; mais dès que l'on atteint un résultat à deux chiffres, la difficulté augmente. Il faut alors viser juste si l'on veut survivre.

LES CANONS À TNT

Le canon à TNT peut avoir 3 portées différentes, permettant de faire sauter des zombies pratiquement à n'importe quel endroit de la carte. Le canon est contrôlé par 3 boutons, un par portée. Astuce : ils utilisent le même câble fait de redstone pour leurs signaux respectifs. En ayant placé chaque bouton 1 bloc plus loin du canon, la machine peut calculer la distance parcourue par le signal, et donc identifier le bouton qui a été pressé. Selon le bouton utilisé, le jeu charge dans le canon une quantité différente de TNT en fonction de la distance à laquelle le bloc de TNT, qui sert de munition, doit être envoyé.

FVDISCO : cet Anglais vit désormais en Australie. Il travaille en général seul, malgré la taille et la complexité de ses projets. Il a acquis un statut mythique au sein de la communauté, et plus de 400 000 joueurs le suivent sur YouTube.

Pour consulter d'autres créations de Disco, voir **www.youtube.com/FVDISCO**

À SAVOIR : pour empêcher les zombies de prendre feu au soleil, FVDisco a construit pour les besoins de son jeu une énorme nappe de glace très haut dans le ciel.

LE SIÈGE DES ZOMBIES

... (SUITE)

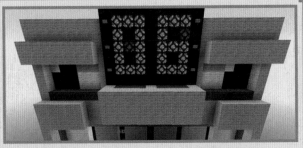

L'AFFICHEUR 7-SEGMENTS DU NIVEAU

Cet afficheur donne le niveau actuel auquel est parvenu le joueur. Le maximum est 99, mais personne n'y est encore arrivé.

LE CONTRÔLEUR DE ZOMBIE

Comme dans la ruée vers l'or, les zombies apparaissent de façon aléatoire grâce au passage d'une poule sur une plaque de pression : celle-ci envoie un signal à un distributeur d'œufs de créatures. Le nombre de distributeurs augmente avec le niveau du joueur, ce qui lui impose de tuer davantage de zombies.

Pour guider les zombies dans la bonne direction, Disco se sert de villageois dans des wagonnets sous terre ! Les zombies voient leurs proies à travers les blocs opaques, et ils leur foncent dessus.

Les wagonnets de villageois doivent rouler lentement pour ne pas décourager les zombies à leur poursuite. Pour ralentir les wagonnets, Disco les fait rouler sur une voie sinueuse.

RÉSUMÉ

Dans le siège des zombies, on massacre d'énormes vagues de zombies avec des canons à TNT et des armes traditionnelles : c'est un mini-jeu génial.

Le circuit de redstone de ce jeu fait appel à des techniques créatives. Le canon à portée variable fut l'une des premières idées à être utilisée avec tant de succès dans un jeu. La version simple de ce canon, à portée unique, est devenue la norme en matière de canon à TNT.

INDICES ET ASTUCES

Nous avons consulté les experts de Mojang pour leur demander conseil et voici leurs réponses :

- Tes débuts en redstone peuvent être difficiles et frustrants, mais courage ! C'est génial de voir sa machine fonctionner après de longues heures de travail.

- Si ta machine met en jeu du TNT, fais-la d'abord tourner à blanc avant d'y mettre l'explosif. C'est plus sûr.

- Essaie de tester ton engin en mode créatif avant de te lancer en mode survie.

- En construction, plus on est de fous, plus on rit. Et pourquoi ne pas inviter tes parents aussi ?

- Construis d'abord quelque chose qui marche, ensuite vois si tu peux faire plus compact et plus esthétique.

- Nous procédons sans cesse à des ajouts ! Si quelque chose est impossible aujourd'hui, peut-être y aura-t-il une solution à l'avenir.

- Ne construis pas des machines redstone à côté d'un plan d'eau : ça risque de tout gâter.

DES LIENS UTILES

Voici quelques sites qui pourraient t'être utiles et diversifier ton expérience sur Minecraft.

Le wiki Minecraft en français
www.minecraft-fr.gamepedia.com

Site officiel Mojang
www.mojang.com

La page officielle Facebook
www.facebook.com/minecraft

La chaîne YouTube de l'équipe Mojang
www.youtube.com/teammojang

La page officielle Twitter de Minecraft
https://twitter.com/mojangteam

La page officielle Twitter de Notch
https://twitter.com/notch

La page officielle Twitter de Jeb_
https://twitter.com/jeb_

Voici quelques autres sites mais non vérifiés par Mojang. Ils sont donc sans garantie!

La communauté Créative des fans de Minecraft
www.planetminecraft.com

Le Skindex, le chic Minecraft
www.minecraftskins.com

Minecraft sur Reddit
www.reddit.com/r/Minecraft/

La chaîne YouTube de Disco
www.youtube.com/FVdisco

La chaîne YouTube de SethBling
www.youtube.com/sethbling

La chaîne YouTube de JL2579
www.youtube.com/JL2579

(voir p. 2 nos recommandations pour la sécurité des enfants sur Internet)